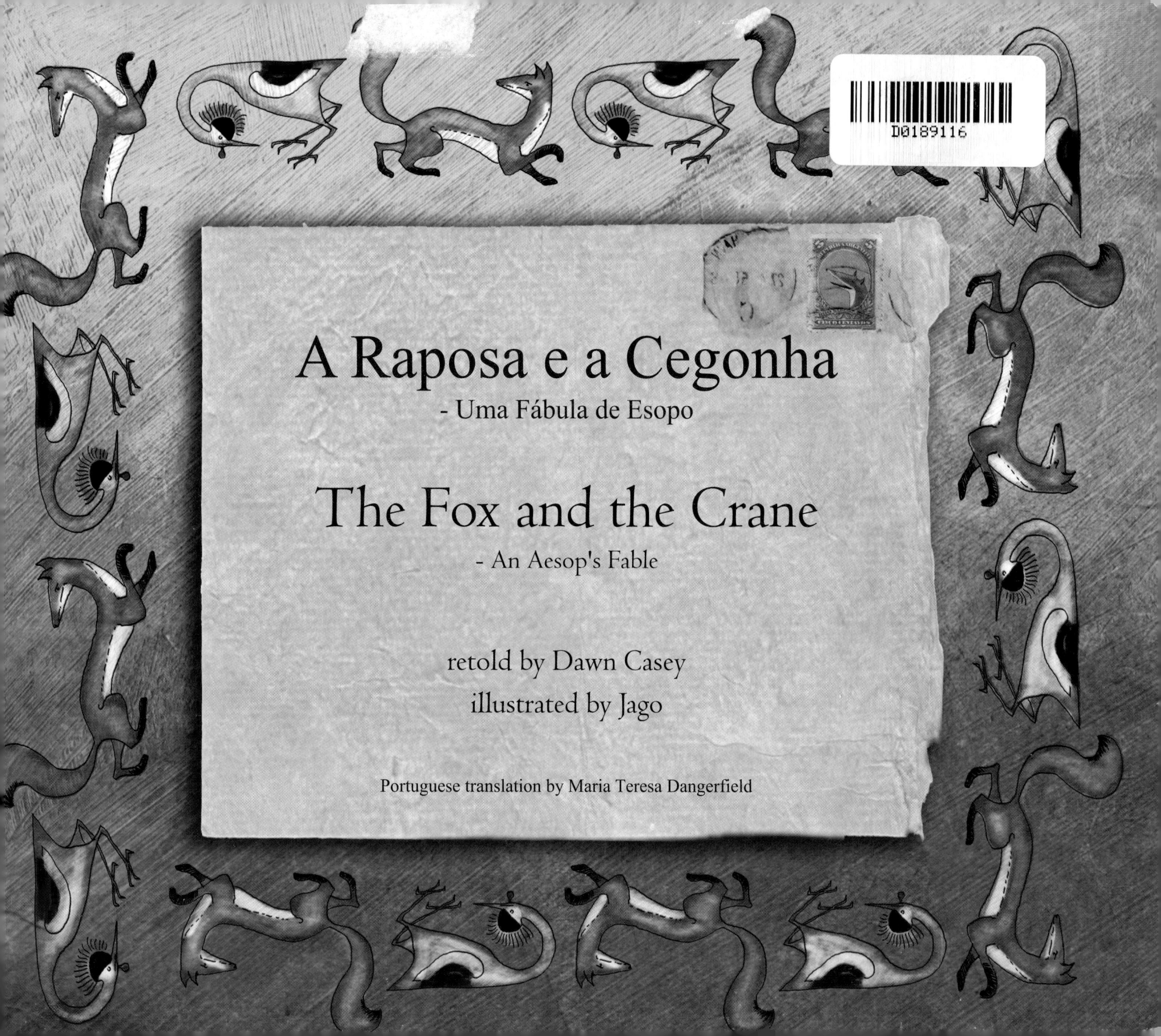

A Raposa e a Cegonha

- Uma Fábula de Esopo

The Fox and the Crane

- An Aesop's Fable

retold by Dawn Casey

illustrated by Jago

Portuguese translation by Maria Teresa Dangerfield

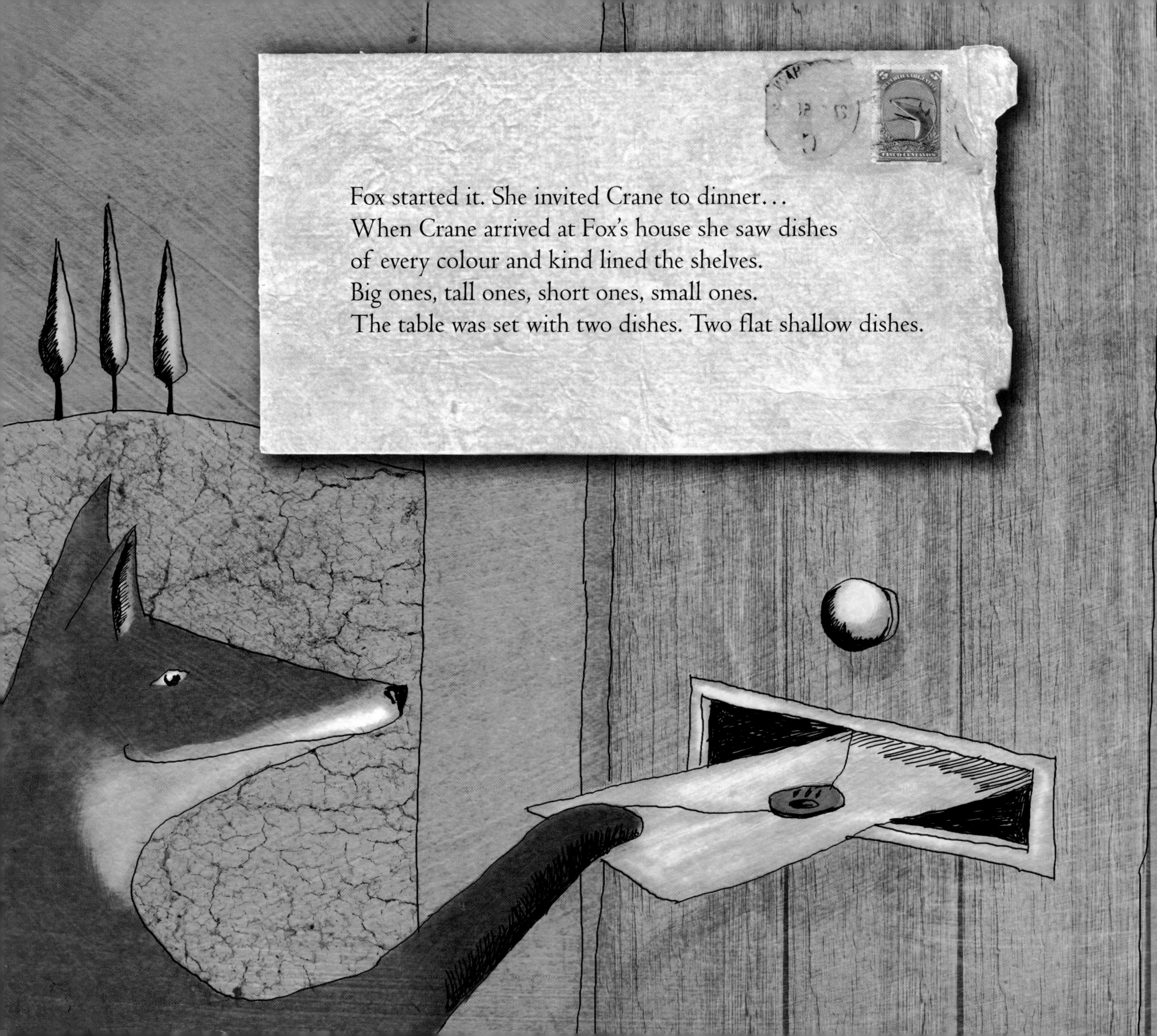

Fox started it. She invited Crane to dinner...
When Crane arrived at Fox's house she saw dishes
of every colour and kind lined the shelves.
Big ones, tall ones, short ones, small ones.
The table was set with two dishes. Two flat shallow dishes.

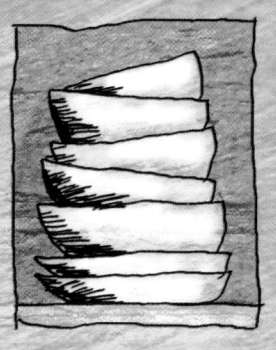

Tudo começou quando a Raposa convidou a Cegonha para jantar...
Quando a Cegonha chegou a casa da Raposa, viu louça de todas as
cores e feitios muito arrumadinha nas prateleiras. Havia pratos
grandes, tigelas, travessas, pratos pequenos.
A mesa estava posta com dois pratos. Dois pratos rasos, muito rasos.

A Cegonha picou e debicou com o seu bico longo e fino. Mas, por mais que tentasse, não conseguiu apanhar nem uma gotinha de sopa.

Crane pecked and she picked with her long thin beak. But no matter how hard she tried she could not get even a sip of the soup.

A Raposa viu a Cegonha a fazer aquele esforço e deu uma risadinha à socapa. Levou o seu prato até à boca e, num abrir e fechar de olhos, engoliu a sopa toda.

— Ah! Que delícia! — disse ela em tom de gozo, ao mesmo tempo que limpava os bigodes com as costas da pata.

— Então Cegonha, não comeu sopa nenhuma! — disse a Raposa com um sorriso malicioso. — Tenho PENA que não tenha gostado — acrescentou ela, contendo-se para não desatar a rir.

Fox watched Crane struggling and sniggered. She lifted her own soup to her lips, and with a SIP, SLOP, SLURP she lapped it all up. "Ahhhh, delicious!" she scoffed, wiping her whiskers with the back of her paw.

"Oh Crane, you haven't touched your soup," said Fox with a smirk. "I AM sorry you didn't like it," she added, trying not to snort with laughter.

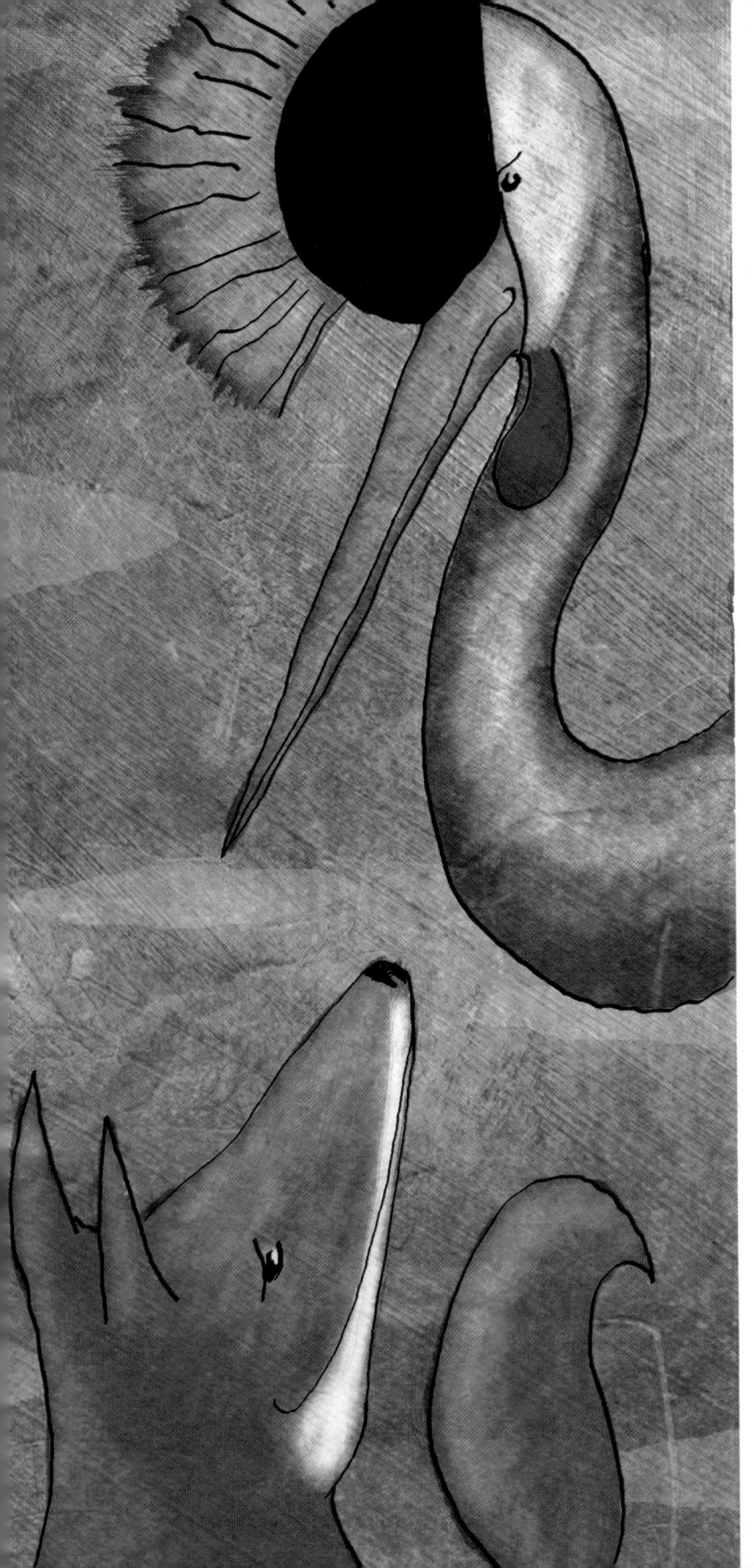

A Cegonha não respondeu. Olhou para a comida. Olhou para o prato. Olhou para a Raposa, e sorriu.
— Cara Raposa, muito obrigada pela sua gentileza — disse a Cegonha com delicadeza. — Por favor, deixe-me recompensá-la. Convido-a para jantar em minha casa.

Quando a Raposa chegou, a janela estava aberta. Sentia-se cá fora um cheirinho delicioso. A Raposa levantou o focinho e pôs-se a cheirar. Começou a crescer-lhe água na boca e a sentir um ratinho no estômago. Lambeu os beiços.

Crane said nothing. She looked at the meal. She looked at the dish. She looked at Fox, and smiled.
"Dear Fox, thank you for your kindness," said Crane politely. "Please let me repay you — come to dinner at my house."

When Fox arrived the window was open. A delicious smell drifted out. Fox lifted her snout and sniffed. Her mouth watered. Her stomach rumbled. She licked her lips.

— Minha cara Raposa, faça o favor de entrar, — disse a Cegonha, fazendo-lhe uma vénia com a asa estendida.
A Raposa entrou bruscamente. Viu louça de todas as cores e feitios muito arrumadinha nas prateleiras. Louça azul, louça vermelha, louça velha, louça nova. A mesa estava posta com dois jarros. Dois jarros altos e de gargalo estreito.

"My dear Fox, do come in," said Crane, extending her wing graciously.
Fox pushed past. She saw dishes of every colour and kind lined the shelves. Red ones, blue ones, old ones, new ones. The table was set with two dishes. Two tall narrow dishes.

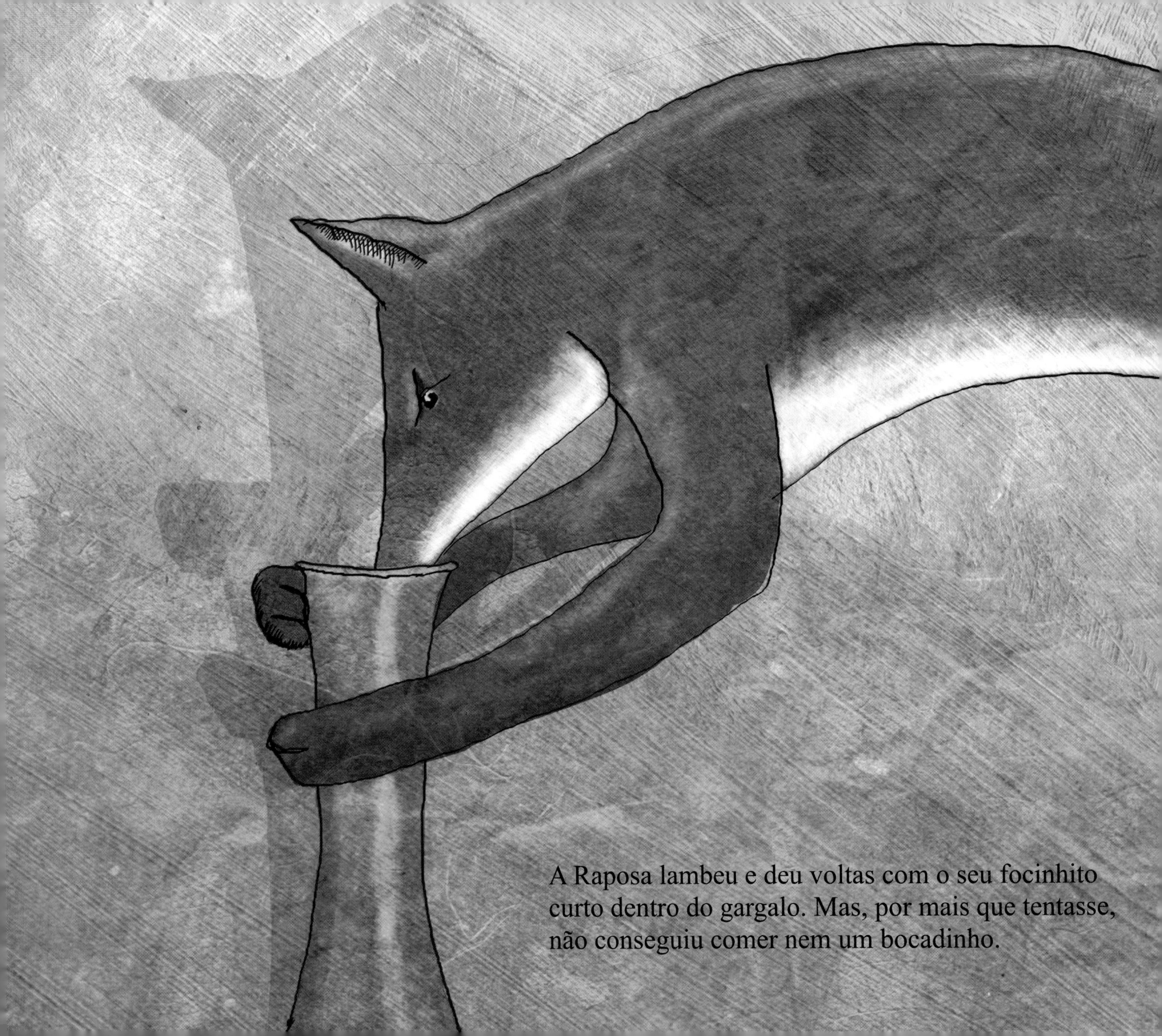

A Raposa lambeu e deu voltas com o seu focinhito curto dentro do gargalo. Mas, por mais que tentasse, não conseguiu comer nem um bocadinho.

Fox licked and she lapped with her short little snout.
But no matter how hard she tried she could not
get even a mouthful of the meal.

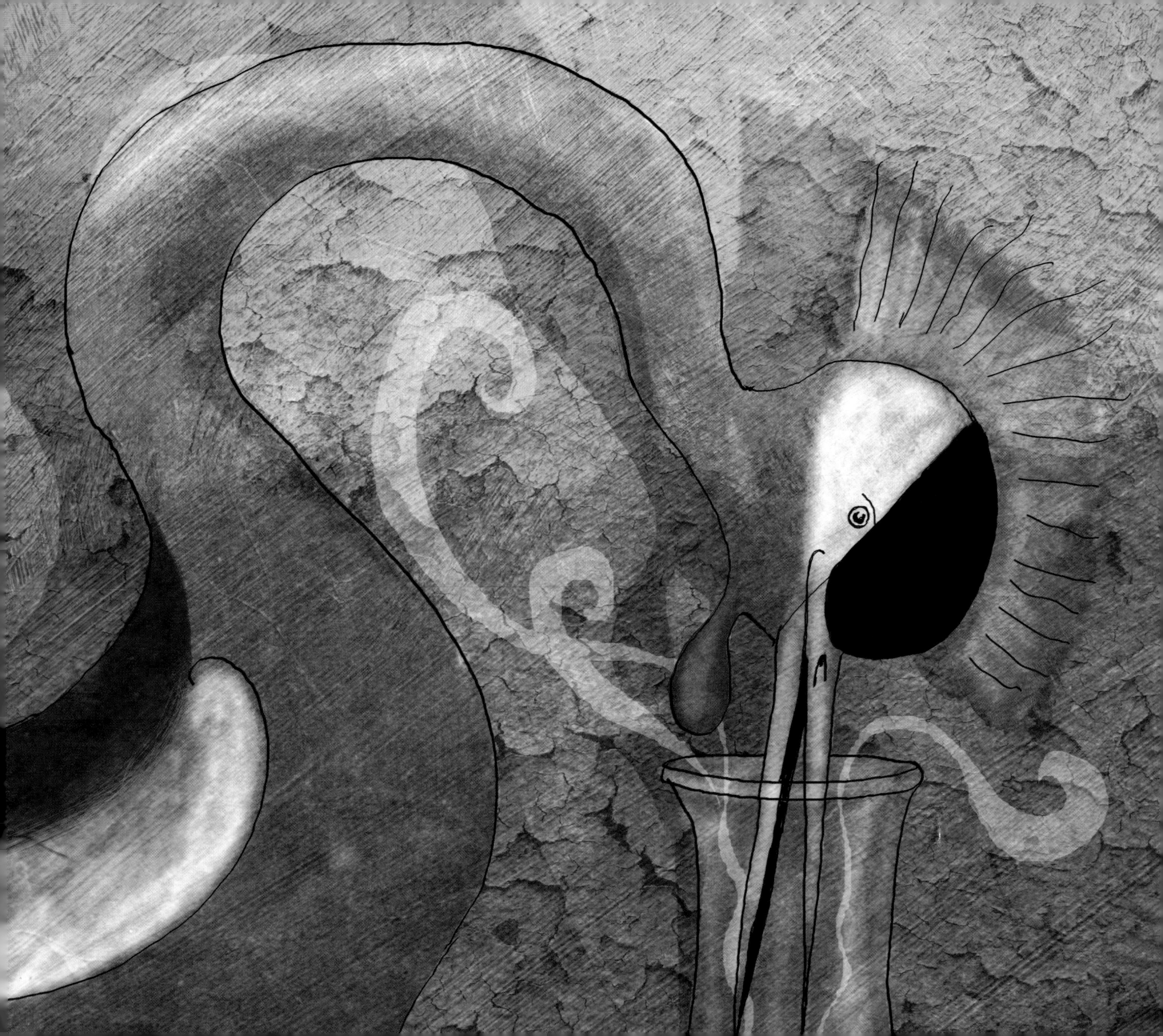

A Cegonha comeu muito devagarinho, saboreando todos
os bocadinhos da sua comida.
— Cara Raposa, muito obrigada por ter vindo — disse ela
a sorrir. — Tive muito gosto em retribuir a sua gentileza.

A barriga da Raposa só fazia barulhinhos.
E quando voltou para casa ia cheiinha de fome!

Crane ate her meal very slowly, savouring every mouthful.
"Dear Fox, thank you so much for coming," she smiled,
"it has been a pleasure to repay your kindness."

Fox's tummy gurgled and grumbled.
And when she went home, she was still hungry.

The Fox and the Crane

Writing Activity:
Read the story. Explain that we can write our own fable by changing the characters.

Discuss the different animals you could use, bearing in mind what different kinds of dishes they would need! For example, instead of the fox and the crane you could have a tiny mouse and a tall giraffe.

Write an example together as a class, then give the children the opportunity to write their own. Children who need support could be provided with a writing frame.

Art Activity:
Dishes of every colour and kind! Create them from clay, salt dough, play dough… Make them, paint them, decorate them…

Maths Activity:
Provide a variety of vessels: bowls, jugs, vases, mugs… Children can use these to investigate capacity:

Compare the containers and order them from smallest to largest.

Estimate the capacity of each container.

Young children can use non-standard measures e.g. 'about 3 beakers full'.

Check estimates by filling the container with coloured liquid ('soup') or dry lentils.

Older children can use standard measures such as a litre jug, and measure using litres and millilitres. How near were the estimates?

Label each vessel with its capacity.

The King of the Forest

Writing Activity:
Children can write their own fables by changing the setting of this story. Think about what kinds of animals you would find in a different setting. For example how about 'The King of the Arctic' starring an arctic fox and a polar bear!

Storytelling Activity:
Draw a long path down a roll of paper showing the route Fox took through the forest. The children can add their own details, drawing in the various scenes and re-telling the story orally with model animals.

If you are feeling ambitious you could chalk the path onto the playground so that children can act out the story using appropriate noises and movements! (They could even make masks to wear, decorated with feathers, woollen fur, sequin scales etc.)

Music Activity:
Children choose a forest animal. Then select an instrument that will make a sound that matches the way their animal looks and moves. Encourage children to think about musical features such as volume, pitch and rhythm. For example a loud, low, plodding rhythm played on a drum could represent an elephant.

Children perform their animal sounds. Can the class guess the animal?

Children can play their pieces in groups, to create a forest soundscape.

O Rei da Floresta
- Uma Fábula Chinesa

The King of the Forest
- A Chinese Fable

retold by Dawn Casey

illustrated by Jago

Portuguese translation by
Maria Teresa Dangerfield

Andava a Compadre Raposo a passear na floresta, quando ouviu qualquer coisa a mexer-se no meio da vegetação.

UM BARULHO   Uma coisa muito grande.
UMA LUZ REPENTINA Uma coisa com olhos amarelos.
UM CLARÃO   Uma coisa com dentes afiados

como facas.

Fox was walking in the forest when he heard something moving in the long grass.

RUSTLE Something big.
BLINK Something with yellow eyes.
FLASH Something with teeth like knives.

— Bom dia raposinho! — disse o Tigre arreganhando os dentes.

O Raposo engoliu em seco.

— Muito prazer em conhecê-lo — ronronou o Tigre. — Estava mesmo a começar a sentir cá uma fominha.

O Raposo reagiu imediatamente: — Como se atreve! — disse ele. Não sabe que eu sou o Rei da Floresta?

— Você! Rei da Floresta? — disse o Tigre e desatou a rir estrondosamente às gargalhadas.

— Se não acredita em mim — respondeu o Raposo com dignidade — siga-me e vai ver - todos têm medo de mim.

— Gostava de ver isso! — disse o Tigre.

Então o Raposo começou a passear pela floresta. O Tigre ia atrás dele todo vaidoso, com a sua cauda bem empinada, quando de repente...

"Good morning little fox," Tiger grinned, and his mouth was nothing but teeth.

Fox gulped.

"I am pleased to meet you," Tiger purred. "I was just beginning to feel hungry."

Fox thought fast. "How dare you!" he said. "Don't you know I'm the King of the Forest?"

"You! King of the Forest?" said Tiger, and he roared with laughter.

"If you don't believe me," replied Fox with dignity, "walk behind me and you'll see — everyone is scared of me."

"This I've got to see," said Tiger.

So Fox strolled through the forest. Tiger followed behind proudly, with his tail held high, until…

MAAAC!
Era um enorme falcão de bico recurvado! Mas assim que o
falcão viu o Tigre, zás, voou de encontro às árvores.
— Está a ver? — disse o Raposo. — Todos têm medo de mim!
— Incrível! — disse o Tigre.
O Raposo continuou a caminhar pela floresta. O Tigre ia
atrás dele muito de mansinho, com a cauda ligeiramente
descaída, quando de repente...

SQUAWK!

A huge hook-beaked hawk! But the hawk took
one look at Tiger and flapped into the trees.
"See?" said Fox. "Everyone is scared of me!"
"Unbelievable!" said Tiger.
Fox strode on through the forest.
Tiger followed behind lightly,
with his tail drooping slightly,
until…

BRRRRR!

Era um enorme urso preto! Mas assim que o urso viu o Tigre, catrapus, foi contra os arbustos.

– Está a ver? – disse o Raposo. – Todos têm medo de mim!

– Incrível! – disse o Tigre.

O Raposo pôs-se a caminhar a passo de marcha pela floresta. O Tigre seguia atrás dele humildemente, com a cauda já a arrastar pelo chão, quando de repente...

GROWL!

A big black bear! But the bear took one look at Tiger and crashed into the bushes.

"See?" said Fox. "Everyone is scared of me!"

"Incredible!" said Tiger.

Fox marched on through the forest. Tiger followed behind meekly, with his tail dragging on the forest floor, until…

SSSSSSSS!
Era uma serpente deslizando sorrateiramente!
Mas assim que a serpente viu o Tigre, enfiou-se
para debaixo da vegetação rasteira.
– ESTÁ A VER? – disse o Raposo. – TODOS TÊM
MEDO DE MIM!

HISSSSSS!
A slinky slidey snake! But the snake took one look
at Tiger and slithered into the undergrowth.
"SEE?" said Fox. "EVERYONE IS SCARED
OF ME!"

– Sim, estou a ver, – disse o Tigre. – Você é o Rei da Floresta
e eu sou o seu humilde servo.
– Muito bem! – disse o Raposo. – Então ponha-se a andar!

E lá se foi o Tigre com a cauda entre as pernas.

"I do see," said Tiger, "you are the King of the Forest and I am your humble servant."
"Good," said Fox. "Then, be gone!"

And Tiger went, with his tail between his legs.

— Rei da Floresta — disse o Compadre Raposo para consigo com um sorriso nos lábios. Depois arreganhou os dentes e deu-lhe uma grande vontade de rir. E foi para casa a rir às gargalhadas.

"King of the Forest," said Fox to himself with a smile. His smile grew into a grin, and his grin grew into a giggle, and Fox laughed out loud all the way home.

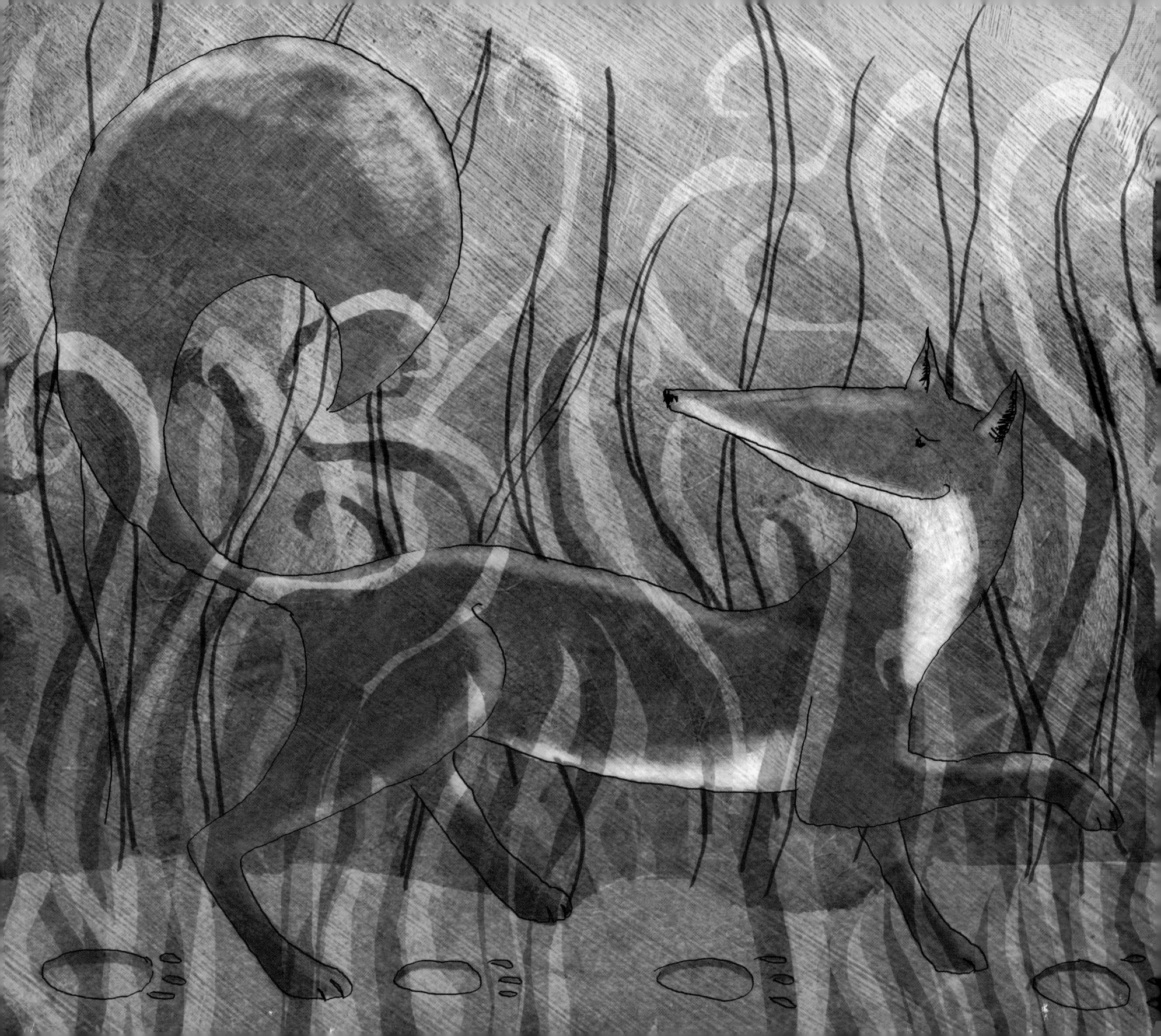

To my Nana, with love - DC
For my wife, Alex - J

First published in 2006 by Mantra Lingua Ltd
Global House, 303 Ballards Lane
London N12 8NP
www.mantralingua.com

Text copyright © 2006 Dawn Casey
Illustration copyright © 2006 Jago
Dual language copyright © Mantra Lingua Ltd

A CIP record for this book is available from the British Library